Mittenwald

Geigenbauort zwischen
Karwendel und Wetterstein

Fotografiert von Franz Stoltefaut
mit Texten von Herbert Meider

Medien-Verlag Schubert

Franz Stoltefaut, geboren 1933 im Sauerland, Westfalen. Nach der Schulzeit Vorbereitung und Ausbildung zum Forstdienst. Aufgrund der Nachkriegswirren Berufswunsch nicht realisierbar. 1957 Eintritt in die Bundeswehr, Gebirgsjäger Mittenwald. Als Stabsfeldwebel 1986 in den Ruhestand versetzt. Bereits seit jungen Jahren mit Naturfotografie befaßt. Zahlreiche Publikationen in Naturzeitschriften und Lokalzeitungen. Bekannt durch seine Tonbild-Schau „Faszination Natur".

Herbert Meider, Jahrgang 1946, wurde in Garmisch-Partenkirchen geboren. Berufsausbildung als Technischer Zeichner, Studium der Religionspädagogik am Fachhochschulstudiengang der Katholischen Universität Eichstätt. Privatgesangsstudium am Konservatorium Innsbruck und Zusatzausbildung als Lehrer für Funktionelle Entspannungstherapie. Seit 1990 Musikkritiken für die Fachzeitschrift „Oper und Konzert", Kulturberichte in der Garmischer Ausgabe des Münchner Merkur.

ISBN 3-929229-31-5
© Copyright 1996 by Medien-Verlag Schubert, Hamburg
Alle Rechte, auch des auszugsweisen Nachdrucks und der fotomechanischen Wiedergabe, vorbehalten.
Satz und Layout: Medien-Verlag Schubert
Druck: C. H. Wäser GmbH + Co KG
Printed in Germany

Inhaltsverzeichnis

Das Kompliment des Dichters

5

Diamant unter den Dorfkirchen

9

Ungebrochene Bilderfreude

15

Bauernanwesen und Bürgerhäuser

21

Geschichte und Geschichten

29

Ein Himmel voller Geigen

45

Kultur im stillen Tal

51

Naturschönheiten ohne Zahl

57

Brauchtum im Jahreskreis

81

Literaturverzeichnis

95

Das Kompliment des Dichters

*Johann Wolfgang von Goethe erlebte
Mittenwald im Licht der Septembersonne.
Der Dichter war begeistert von den
„köstlichen, ewig wechselnden Bildern",
die sich ihm boten.*

oben: Die ehemalige Posthalterei am Obermarkt hielt für Goethe ein Nachtlager bereit. Der Dichter machte hier vom 7. auf den 8. September 1786 Station, bevor er nach Italien weiterreiste.

rechts: Deutschlands großer Poet war von der Mittenwald umgebenden Natur begeistert: blauer Himmel, verschneite Berge und die Herbstfarben der Bäume.

Kein Geringerer als Johann Wolfgang von Goethe empfand Mittenwald als ein „lebendiges Bilderbuch." Auf seiner Italienreise übernachtete der Dichter vom 7. auf den 8. September 1786 in der ehemaligen Posthalterei am Obermarkt 2. Das Gebäude ist heute unter dem Namen „Goethehaus" bekannt. Goethe muß vom Ort unterm Karwendel, vor allem aber von der ihn umgebenden Natur tief beeindruckt gewesen sein. Er schreibt über seinen Aufbruch am Morgen des 8. September: „Um 6 Uhr verließ ich Mittenwald, den klaren Himmel reinigte ein scharfer Wind vollkommen. Es war eine Kälte, wie sie nur im Februar erlaubt ist. Nun aber, im Glanze der aufgehenden Sonne, die dunklen, mit Fichten bewachsenen Vordergründe, die grauen Kalkfelsen dazwischen und dahinter die beschneiten höchsten Gipfel auf ei-

nem tiefen Himmelsblau, das waren köstliche, ewig wechselnde Bilder." Ob Deutschlands großem Poeten und Philosophen Zeit blieb, um durch den Ort zu spazieren, sei dahingestellt. Unsere Leserinnen und Leser jedenfalls sind eingeladen, das exemplarische Beispiel eines bayerischen „Großdorfes" kennenzulernen, dessen Sakralbauten und alte Hausensembles bis in unsere Tage erhalten geblieben sind.

Diamant unter den Dorfkirchen

Beim Betreten der Pfarrkirche St. Peter und Paul empfindet der Besucher, sich in einem „Festsaal Gottes" aufzuhalten. Das Gotteshaus wurde in der heutigen Form zwischen 1738 und 1749 erbaut.

Wer vom tirolerischen Scharnitz im Süden oder aus dem freundlichen Krün von Norden auf Mittenwald zufährt, dem fällt augenblicklich ein farbig bemalter Turm ins Auge. Er wird von einer ungewöhnlich phantasievollen Haube gekrönt und gehört zur katholischen Pfarrkirche St. Peter und Paul. Es entsteht der Eindruck, als ob sich der kühn in die Höhe ragende Kirchturm mit den hinter ihm aufragenden Karwendelfelsen messen wollte. Im „Gries", dem ältesten Ortsteil Mittenwalds, tritt diese Kulisse besonders prägnant ins Blickfeld. Von großem Reiz ist das harmonische Zusammenspiel der Farben; kraftvolles Rot der Malerei, Grünspan der Turmhaube, tiefblauer Himmel und blendendes Weiß der überschneiten Berge. An der Fassade des Turmes, die dem Süden zugewandt ist, kann der Kunstfreund eine Rarität bewundern. Der Augsburger Akademiedirektor Matthäus Günther schuf zwei Außenfresken, die Petrus und Paulus zeigen, die Patrone der Pfarrkirche. Petrus richtet seinen Blick in die Ferne, ins südliche Rom, wo er, wie der heilige Paulus, den Märtyrertod erlitt. Die Kirche, die wohl zu Recht ein „Signal des Schönheitssinns, der Opferfreudigkeit und Frömmigkeit der Mittenwalder Bürger" benannt wurde, entstand in der heutigen Form in den Jahren zwischen 1738 und 1749. Zwei der bekanntesten Meister ihrer Zeit gestalteten sie. Josef Schmuzer aus Wessobrunn, das zwischen Bayerns Hauptstadt München und dem sehenswerten Doppelort Garmisch-Partenkirchen liegt, fügte dem Chor der spätgotischen Vorgängerkirche ein quadratisches Langhaus an. Wessobrunner Bandelwerkstuck ziert den Raum, in lichtem Rosa auf Weiß und in Weiß auf lichtrotem Grund. Die sehenswerten Deckenbilder schuf Matthäus Günther. Die Fresken zei-

Die Südfassade des Turmes gestaltete Matthäus Günther. Der Künstler schuf Fresken, die Petrus und Paulus, die Kirchpatrone, zeigen.

rechte Seite: Der markante Kirchturm war 1746 fertiggestellt und wurde zusammen mit der hinter ihm aufragenden Viererspitze zum Wahrzeichen des Ortes.

Den Innenraum des Gotteshauses ziert Wessobrunner Bandelwerkstuck. Die Farben Rosa, Weiß und Gold harmonieren gut mit den Deckenbildern.

gen Szenen aus dem Leben der Apostelfürsten. Der festliche Hochaltar ist von Heiligenfiguren umgeben, darunter der Patron der Diözese München und Freising, der heiligen Korbinian. Er soll ja anläßlich einer Reise in den Süden durch Mittenwald gekommen sein. Auch die anderen Heiligen werden von musizierenden Engeln umschwebt, die Zeugnis von der Unbeschwertheit barocker Kirchen geben. In der linken Seitenkapelle trohnt über einer Schmerzhaften Muttergottes ein großes Kruzifix aus dem ausgehenden 14. Jahrhundert. Es stammt aus der alten gotischen Kirche. „Herrgott unter dem Turm" wird das Kreuz deshalb genannt, weil an diesem Platz einst der gotische Kirchturm stand. In der rechten Seitenkapelle wird der heilige Johannes Nepomuk, der Patron des Flößerhandwerkes, verehrt. Den linken Seitenaltar ziert eine Madonna aus der Zeit um 1500. Gegenüber der herrlichen Kanzel ist eine Kreuzigungsgruppe eingemauert, eine Steinskulptur von 1380. Die katholische Pfarrkirche Sankt Peter und Paul ist aber nicht nur aus kunsthistorischer Sicht von Bedeutung. Gottesdienste und Kirchenkonzerte erfüllen das Haus mit christlichem Leben und beweisen, daß Glaube sich nicht in starren Riten erschöpft.

oben: Das große Kreuz am Altar der linken Seitenkapelle ist nahezu 500 Jahre alt. Hier an diesem Platz stand der gotische Turm der Vorgängerkirche von St. Peter und Paul.

unten: Den Marienaltar schmückt diese Madonna mit Kind aus der Zeit um 1520. Im Marienmonat Mai ist der Altar mit besonders vielen Blumen geschmückt, zur Verehrung der Mutter Gottes.

Das große Kuppelfresko im Hauptraum der Kirche zeigt, wie Petrus und Paulus in die Herrlichkeit des Himmels eingehen.

Der Hochaltar von St. Peter und Paul ist ein künstlerisches und religiöses Kleinod. Über dem Altarbild schweben Engel, die in ihrer Unbefangenheit barocke Lebensfreude ausdrücken.

14

Ungebrochene Bilderfreude

Viele Mittenwalder Bürger ließen
um 1750 die Außenseiten ihrer Häuser
bemalen. Die „Lüftlmalereien" muten wie
bunte Bilderbücher an.

Kindern, die noch nicht lesen können, schenkt man ein Bilderbuch. Aber auch Erwachsene lieben Darstellungen ohne Worte. Sie sind zuhauf an den Außenseiten vieler Mittenwalder Häuser zu bewundern. „Lüftlmalerei" nennt man die kleinen Kunstwerke, die dem Betrachter religiöse Geschichten erzählen oder ihm Mittenwalds Vergangenheit vor Augen führen. Ein fast romantischer Zauber liegt über dieser besonderen Art der Fassadenmalerei, die in Altbayern beheimatet ist. Große Meister wie Holbein oder Tizian schufen in deutschen und italienischen Städten meisterhafte Außenmalereien. Die Lüftlmalerei ist gewissermaßen das ländliche Pendant dazu, einheimische Künstler könnte man als die „kleinen rustikalen Verwandten" der bedeutenden Malerpersönlichkeiten bezeichnen. In Mittenwald sind vor allem zwei Namen be-

kannt geworden, der des einheimischen Franz Karner und des Oberammergauers Franz Seraph Zwink. Sie arbeiteten um 1750 bis 1800 und schufen Werke, die auch in unseren Tagen noch zu bewundern sind, so am Hornsteiner Haus die „Tötung des Holofernes" aus dem Jahr 1775, oder die „Flucht der Heiligen Familie" am Hogl Haus. Kräftige, aber unaufdringliche Farben lassen die Bilder leuchten, zarte Pastelltöne zeugen von der Sensibilität ihrer Schöpfer. Überall im Ort, besonders im Ober- und Untermarkt, und im schon erwähnten Gries, sind die ansprechenden Außendekorationen zu finden. Auch eine Fülle von Werken unbekannter Meister laden ein, in stillen Winkeln und Gassen entdeckt und bestaunt zu werden. Möglicherweise hat die Außenbemalung des Mittenwalder Kirchturmes den Anstoß zur Hausbe-

malung gegeben. Die „Lüftlmaler", in „luftiger" Höhe agierend, wandten ein schon damals seit Jahrhunderten erprobtes Verfahren an. Sie arbeiteten mit Naturfarben, die sie auf den noch feuchten Putz auftrugen. Beim Trocknen verbanden sie sich fest mit dem Untergrund. Feuchte oder verfallende Mauern bedrohten die Kunstwerke, manches, was dem Untergang geweiht war, wurde in letzter Zeit sorgfältig restauriert und gerettet. Die Ausübung der Lüftlmalerei ist nicht nur Vergangenheit. Sie lebte in den letzten Jahrzehnten wieder auf und zeugt von der „ungebrochenen Bilderfreude" der Mittenwalder.

oben: Einheimische Malerpersönlichkeiten schufen beeindruckende Fresken. Besonders prägnant ist der rechts im Bild zu sehende Christopherus am Haus vom „Vere Sepp" in der Ballenhausgasse.

Eine alte Lüftlmalerei präsentiert das „Hornsteinerhaus" im Gries. Aus dem Alten Testament wird die Tötung des Holofernes durch Judith gezeigt.

Die Außenfresken der Mittenwalder Häuser zeigen oft religiöse Szenen. Diese „Flucht nach Ägypten" erhält ihren künstlerischen Reiz durch die zarten, leuchtenden Pastelltöne.

Ein gelungenes Beispiel neuerer Lüftlmalerei ist das Bild mit Maria, Josef und dem Jesuskind des einheimischen Malers und Bildhauers Sebastian Pfeffer aus dem Jahr 1980.

17

Von einem unbekannten Meister ist die aussagekräftige Darstellung aus dem Neuen Testament vom „Splitter im Auge". Das köstliche Rokokomedaillon ist im Gries zu finden.

Aus den Anfängen der Hausbemalung stammt diese Mariendarstellung. Sie ist mit dem Jahr 1752 datiert.

Der heilige Florian gilt als Helfer gegen die Feuersbrunst. Hier ist er gerade dabei, die lodernden Flammen zu bekämpfen.

rechts: Die stärkste Schöpfung des Mittenwalder Lüftlmalers Franz Karner ist am „Schlipferhaus" zu bewundern: St. Michael stürzt das feuerspeiende Ungeheuer in den flammenden Höllenschlund.

Du holen drach, Nur gschwindt dich bach, Thue uns nit vill anfechti[ꞇ]
S. Michaels schwerdt schlagt dich Zur Erdt, Das wir nit Zarundt[ꞇ]

Bauernanwesen und Bürgerhäuser

Mittenwalds Häuser blieben zum Großteil von einer Erneuerungswut verschont. Sie bieten ein relativ erhaltenes Ganzes und spiegeln zurückliegende Zeiten.

Dieses alte Bild aus der Jahrhundertwende zeigt den allgemeinen Typ des Werdenfelser Bauernhauses. Das flache, steinbeschwerte Schindeldach war weit vorgezogen.

Die Bauernhäuser wurden modernisiert, Holz durch Blech und Ziegel ersetzt. Doch die alten Grundstrukturen blieben erhalten.

Die Möglichkeit, Häuser an den Außenseiten bemalen zu lassen, spricht von einem gewissen Maß an Wohlstand bei deren Besitzern. Die alten Mittenwalder Häuser wiesen in der Zeit vor 1700 wohl keine Bemalungen auf. Im Gries trifft der Betrachter zunächst auf den allgemeinen Typ des Werdenfelser Bauernhauses. Er hat ein flaches, steinbeschwertes Schindeldach, das weit vorgezogen ist. Die hölzerne Dachrinne ragt in die Straße hinein, so kann das Regenwasser auf die Erde oder in den vorbeifließenden Bach plätschern. Holz ist ein Material, das dem rauhen Klima in den Bergen nicht lange standhält. Darum wurden Dächer und Holzdachrinnen durch Blech und Ziegel ersetzt. Wie es „früher" aussah, zeigt in anschaulicher Art und Weise die „Silberschmiede", in deren Mauern in einer sehenswerten Werkstatt ein altes Handwerk ausgeübt wird. Treffende Exemplare weit in die Straße hineinragender Dachrinnen finden sich im „Dopfengasserl", nahe des Obermarktes. Spaziert man zum Gröblweg, so bietet sich ein lohnender Blick hinunter auf alte Hausensembles. Der Betrachter kann genau Anlage und Hoftypen in ihrer Eigenart erkennen. Kleine Plätze und Seitengassen lockern den Kern der alten Bauernsiedlung angenehm auf. Es gibt auch die für Mittenwald häufigen Doppel- und Dreifachhöfe unter einem Giebel. Sie sind eine markante Eigenart im Ort unterm Karwendel. Bürgerlicher präsentieren sich manche Häuser am Obermarkt. Die alten Gebäude weisen die Besonderheit breiter, hoher Toreinfahrten und Hauseingänge auf. Dies führt uns zurück in die Rottzeit, als die Einfahrten den Wagen und Waren der Fuhrleute für die Nacht Unterschlupf und Schutz boten. Bürgerinitiative und Denkmalschutz haben für die Erhaltung der alten Hausfassaden gesorgt. Natürlich mußten manche Modernisierungen zugunsten der Bewohner durchgeführt werden, doch die große „Erneuerungswut" blieb aus. So bieten Ober- und Untermarkt ein relativ geschlossenes und erhaltenes Ganzes, das zurückliegende Jahrhunderte spiegelt. Auffällig ist das staffelförmige Hervortreten der Häuser. Bei deren Bau stand die Idee im Vordergrund, dem Nachbarn mehr Licht in das schmale, langgezogene Haus zu bringen. Die Wohnstuben profitierten davon, deren Fenster auf die Straße hinausgingen. Die alte Aufteilung der Innenräume ist wohl nur in wenigen Fällen erhalten geblieben, verständlich, denn wer in den Häusern wohnen und leben muß, kann nicht um der Nostalgie willen auf die Annehmlichkeiten zeitgemäßer Wohnverhältnisse verzichten. Hinter den Wohnräumen lag die gewölbte Küche, die kein direktes Tageslicht sah. In alten Zeiten mag sie, durch den offenen Herd rußgeschwärzt, ein unfreundliches Aussehen gezeigt haben. Im Anschluß an das Reich der Köchin war der Stall. In den alten Gebäuden kannten die Mittenwalder kein Treppenhaus. Auf einer Stiege, die im Wohnraum stand, ging der Bewohner zu den Schlafstuben hinauf, an die sich die Heueinlag anschloß. Einige wenige hölzerne Hausgiebel mit schön verzierten Schalbrettern zeigen die häufige Verwendung des um Mittenwald üppig wachsenden Rohmaterials. Zusammen mit den kleinen Bauernanwesen, den freskierten Häusern und den Kirchen leisten sie einen Beitrag zum „Bilderbuch" Mittenwald, dessen Historie es nun ein wenig aufzuschlagen gilt.

Das staffelförmige Hervortreten der Häuser sollte dem Nachbarn mehr Licht in das schmale Gebäude bringen. Auffällig sind hier die weit in die Straße hineinragenden Holzdachrinnen.

Sie zählen zu den ältesten Bauernanwesen in Mittenwald, die Häuser am Weg zum Kranzberg.

23

oben: Der Blick auf das „Broathiater-Haus"
im Untermarkt vermittelt ein Bild von den
nur noch wenig erhaltenen hölzernen Haus-
giebeln mit ihren schönen Verzierungen.

unten: Viele Mittenwalder betreiben auch
heute noch Landwirtschaft im Nebenerwerb.
Aufgrund der Geländeverhältnisse muß manche Wiese mit der Sense gemäht werden.

oben: Ein „heißes Eisen" ist die neugestaltete Fußgängerzone im Obermarkt: des einen Freud – des andern Leid!

unten: Breite und hohe Toreinfahrten ließen in früheren Zeiten Fuhrleute mit ihren Wagen und Waren ins Innere.

oben: Im Sommer werden die Bergschafe aus dem Ort auf die hochgelegenen Weiden im Karwendel getrieben.

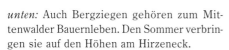

unten: Auch Bergziegen gehören zum Mittenwalder Bauernleben. Den Sommer verbringen sie auf den Höhen am Hirzeneck.

rechte Seite: Die Bauernarbeit ist nicht nur ein „Honiglecken". Da tut es gut, wenn man eine Pause einlegt und sich in Ruhe der Virginia widmen kann!

Geschichte und Geschichten

Mittenwalds Historie ist bewegt
und vielschichtig. Der an der wichtigen
Nord-Süd-Verbindung gelegene Ort war
Schauplatz vieler Begebenheiten. Bepackte
Planwagen, von Pferden gezogen,
gehörten zum Alltag im Ort
unterm Karwendel.

oben: Im Kurpark am Burgberg fanden die Forscher Spuren der Römer. Unter den Schätzen befand sich sogar ein Meilenstein des Kaisers Septimus Servus.

unten: Soldaten, Händler, Fuhrleute und allerlei gemischtes Volk hat der Römerweg schon gesehen.

„Media silva"

Welchen Täuschungen der Mensch unterliegen kann, beweist ein Gang in den Kurpark am Burgberg. Hier scheint den Besucher die Atmosphäre der Gegenwart zu umgeben. Doch der Schein trügt. Man befindet sich auf geschichtsträchtigem Boden. Vielleicht verbergen gerade diese gepflegten Anlagen Mittenwalds älteste Vergangenheit. Zwar wurden hier keine greifbaren Spuren der Kelten gefunden, wohl aber haben die Römer zahlreiche Zeichen ihrer Anwesenheit hinterlassen. Die Forscher fanden Münzen, Eisen und Beile. Sogar ein Meilenstein des Kaisers Septimus Servus und seiner Söhne ist zum Vorschein gekommen. Nach Aventin, dem aus Niederbayern stammenden Geschichtsschreiber, soll Mittenwald eine starke römische Befestigung gewesen sein. Vielleicht waren zu

seiner Zeit noch Reste dieses Bollwerkes vorhanden, heute jedoch sucht man nach ihnen ohne Erfolg. Es spricht aber nichts dagegen, daß Mittenwald an der wichtigen Italienverbindung eine Straßenstation gewesen ist. Möglicherweise stand an der Stelle des heutigen Schießplatzes ein kleines Kastell und auf dem Vorsprung des Burgberges ein Wachturm, der ob seiner strategisch günstigen Lage das ganze Mittenwalder Tal beherrschen konnte. Das alles sind Hypothesen. Ilka von Vigneau, an deren Geschichtsüberlegungen wir uns anschließen, stellt fest: „Sicher ist die erste Erwähnung Mittenwalds als „Media silva", als Gegend „mitten im Wald", im Jahr 1080." Im Jahr 1294 ging es zusammen mit dem bedeutenden Ort Partenkirchen von den Grafen von Eschenlohe an das Hochstift Freising über. 1361 ist für den Ort ein geschichtlich wichtiges Datum,

denn Kaiser Karl IV. erhob ihn in diesem Jahr zum Markt. Damit brach für Mittenwald eine Zeit großen Wohlstandes an. „Media silva" wurde zum Hauptumschlagsplatz des Handels zwischen Nord und Süd. Die „Rott" sollte den Ort für lange Zeit prägen.

oben: Das Jahr 1361 ist für Mittenwald bedeutend, denn es wurde zum Markt erhoben. Im Hauptumschlagplatz des Handels zwischen Deutschland und Italien nahm der Wohlstand seinen Anfang.

Vom Burgberg kann man das ganze Mittenwalder Tal im Auge behalten. Möglicherweise stand hier ein römischer Wachturm.

oben: Während der Rottzeit belebten Krämer mit ihren Handkarren, Pilger und Boten das Straßenbild.

unten: Am 20. Juni 1407 wurde dem Markt Mittenwald das Wappen verliehen. Die Bäume zwischen den Bergen versinnbildlichen den Namen „Mittenwald" und weisen auf seine landschaftliche Lage hin. Der Mohrenkopf ist dem Wappen des Bistums Freising entnommen und kann vielleicht mit dem „Mohrenkönig" Kaspar der „Heiligen Drei Könige" in Beziehung gebracht werden.

Messen und zählen

Die Lagunenstadt Venedig war im 14. Jahrhundert Metropole des Orienthandels. Die Stadtväter hatten auch Geschäftsverbindungen zur Fuggerstadt Augsburg. Mittenwald lag auf dem Handelsweg zwischen Süd und Nord. Das trug zum Aufblühen des Ortes bei, durch den Güter wie Gewürze, Südfrüchte, Baumwolle, Samt und Seide, Gold, Silber und Wein transportiert wurden. Aus Augsburg kamen Fässer mit Kupferdraht, Blech und Messing, Sturzhauben, Rüstungen und Waffen, aber auch englische Tuche, Kleider, Gewänder, Papierballen und Felle. Für den Transport der Waren sorgten die Rottleute. Die Zunft der „Rott" bestand aus einer Vereinigung bürgerlicher Fuhrleute. Sie verfügten über das ausschließliche Recht der Verfrachtung von Kaufmannsgütern und der Erhebung des „Niederlagegeldes". Eine „Rott" setzte sich aus einer gewissen Zahl von Fuhrleuten zusammen. Sie waren verpflichtet, den Warentransport auf einer ihnen zugeteilten Strecke von einer „Rottstation" zur anderen durchzuführen. „Dort mußten Fuhrleute und Pferde ausgewechselt, Warenballen, Kisten und Fässer umgeladen oder in den hierfür errichteten Ballenhäusern bis zum Weitertransport gelagert werden. In Kolonnen bis zu hundert vier- und sechsspänniger, schwer bepackter Planwagen transportierten die Rottleute die Handelswaren. Jede Rottstation konnte von jeder Transportkolonne einen bestimmten, ihr von der Landesregierung zugebilligten Anteil an Warenzoll einbehalten" Das war sicher keine schlechte Einnahmequelle, und die Mittenwalder, nicht nur heute geschickte Geschäftsleute, wußten dies vermutlich zu nutzen. Außerdem floß der Bevölkerung bei der Verpflegung

Die Mittenwalder Wirte versorgten die Fuhrleute mit Speis und Trank.

und Unterbringung der Begleitmannschaften und ihrer Pferde ein nicht unerheblicher Gewinn zu. Als Herzog Albrecht IV. durch den Ausbau der Kesselbergstrasse eine direkte Verbindung nach München ermöglichte, nahm der Warenverkehr rapide zu. Die Rottleute konnten den Anforderungen kaum noch gerecht werden. Und so taten sie nichts anderes als arbeitende Menschen heute auch: Sie verlangten mehr Lohn. Es heißt, die Rottleute wurden übermütig und erhoben ein großes Geschrei: „Das Futter ist theuer, die Zehrung bei dem Wirtshaus so groß, die Schmiede und Wagner verlangen hohen Lohn, und die Wege und Stege, die Brücken und Wasserbauten kosten uns merkliches Geld. Denn wir müssen beitragen zu allen diesen Bauten." Nach Erreichen der geforderten Lohnerhöhung ging das Geschrei von neuem los. Diesmal verlangte man das doppelte Niederlagegeld, auch das wurde gewährt. Eine verantwortungsvolle Aufgabe unter den Rottleuten hatte der „Ballenhausverwalter" inne. Er war für die Sicherheit der im Ballenhaus niedergelegten Waren verantwortlich. Der Verwalter mußte außerdem die nöti-

ge Zahl der Rottfuhrleute entsprechend der festgelegten Reihenfolge aufbieten und ihnen ihre „Rotte" zuweisen. Die Fuhrleute hafteten für die Waren vom Zeitpunkt der Annahme bis zur nächsten Rottstation und für die rechtzeitige Ablieferung der Güter. „Das Leben auf der Rottstraße war schillernd und bunt. Auf ihr bewegten sich Kaufleute des Südens und Nordens auf Rossen und Kammerwagen. Fuhrleute plagten sich mit Wagen, Karren, Saumrossen und Packeseln. Krämer, Pilger, fahrendes Volk, reitende und laufende Boten belebten das Bild." Boten, die von Kaufleuten des „Deutschen Hauses" in Venedig und aus den großen Handelsstädten mit ihren Geschäftsbriefen hin- und hergesandt wurden, benötigten im Durchschnitt von Augsburg nach Venedig 10 bis 13 Tage. Ein Nürnberger soll es im Jahr 1494 in knapp fünf Tagen geschafft haben, wohl ein „Vorbote" des modernen Leistungssports.

Auf den Wellen der Isar schwammen Güter des Orients. Es wurden aber auch Produkte aus deutschen Landen befördert: Holz, Kreide und Marmor.

Warentransport auf dem Wasser

Schon ein Jahrzehnt nach Mittenwalds Erhebung zum Markt war der Andrang der Kaufmannsgüter so groß geworden, daß deren Weitertransport auf den Straßen nicht mehr ausreichte. Die rührigen Mittenwalder richteten zusätzlich eine Isar-Flößerei ein. Diese „Wasserrott" erfreute sich großer Beliebtheit. Insbesondere die Nürnberger Kaufleute lobten die Art des Weitertransportes, denn er hatte den Vorteil, daß er durch Bayern erfolgte und dadurch die von „Räubern und Gesindel aller Art" gefährdeten Straßen durch Schwaben und Franken vermieden werden konnten. Doch bald schon übten die Handelsherren Kritik an den hohen Forderungen der Mittenwalder Flößer. So schalteten sich die Herzöge Bayerns ein und

erließen eine „Wasserrottordnung". In ihr heißt es: „Füran soll die Stallung der Flöß zu Wein und Trockengut unter den Bürgern und Inwohnern des Marktes ordentlich und fürderlich umgehen, damit die Kaufleute nit gesaumt, sondern gefördert werden. An wem die Stallung der Flöß ist, der soll Flöß stellen, die dazu nutz und gut, und Leute dazu, die des Handwerks sind und solche Sachen wissen auszurichten, damit die Kaufleute und ihre Güter versorgt werden, als auf dem Wasser Recht und Gewohnheit ist. Wer einen Floß stellt, soll nehmen von einem Fuder Wein 3 Pfund Perner, von einem Saum Trockengut 18 Kreuzer und nit mehr." Damit dies alles gewährleistet war, setzten Richter, Rat und Handwerk zwei Leute ein, die ganze Wasserrott verantwortlich zu leiten. Unterhalb der Friedhofskir-

Für diesen Flößer aus Stein sind die Zeiten der Plagen und Gefahren vorbei. Ihm können die Wogen und Wellen nichts mehr anhaben.

Die „Isar-Flößerei" war bei den Kaufleuten sehr angesehen. Dadurch konnten die von Räubern gefährdeten Straßen umgangen werden.

che St. Nikolaus gab es bereits 1450 einen Floßhafen, den man die „Alter" nannte. Er maß 50 auf 16 Meter und wurde von einem Isarkanal gespeist, abschließbar war der Hafen durch eine Schleuse. Am Ufer des Beckens stand ein gemauertes Gebäude, der „Ländstadel" mit der Stube für den „Ländhüter". In diesem Stadel wurden die Waren bis zur Weiterverfrachtung aufgestapelt. Der Floßhafen ist mit der Regulierung der Isar verschwunden. Auf den Wellen der Isar schwammen nicht nur Güter des Orients. Auch die Erzeugnisse der Heimat wurden befördert, unter anderem Holz, Holzkohle, Kreide, Kalk, Marmor und vieles mehr. Die Arbeit der Flößer war anstrengend und gefährlich, aber gut bezahlt. Die Mittenwalder Flößer übernachteten in Bad Tölz, bevor sie am nächsten Tag ihre Wa-

ren in München ablieferten. Anschaulich schildert Josef Baader Leben und Treiben am Mittenwalder Floßhafen: „An solchen Tagen herrschte an der Länd reges Leben. Am meisten erregen unsere Aufmerksamkeit die langgelockten, stämmigen Passeirer, die auf ihren schwerbeladenen Kraxen Edelobst in die Länd bringen, um damit nach München zu fahren. Wenn sie unter der Last ihrer Kraxen in den Markt hereinziehen, singen und jauchzen sie, daß es weithin schallt. Auch Passagiere treffen wir auf der Länd, einheimische und fremde, die sich der Flöße als Reisegelegenheit bedienen. Da zieht ein Vater, dort ein Sohn in die Fremde. Die Angehörigen geben ihnen das Geleit bis zur Länd, wo manch rührender Abschied gehalten wird und des Winkens und Neigens gegen die rasch Dahinfahren-

den kein Ende sein will". Die Flößer kamen vor jeder Ausfahrt in die Friedhofskapelle Sankt Nikolaus und baten um himmlischen Schutz für ihre gefahrvolle Tätigkeit und um eine glückliche Heimkehr. „Die im Jahr 1447 erstmals erwähnte Kirche wurde im 18. Jahrhundert barockisiert. Sie besitzt von der alten Ausstattung noch eine Madonna auf der Mondsichel aus der Zeit um 1520. Die schöne Zwiebelhaube des Turmes setzt wie die von St. Peter und Paul ein besonderes optisches Zeichen." (Vigneau) Sie gefiel dem österreichischen Biedermeier-Maler Friedrich Gauermann so gut, daß er sie in ein Genrebild eingebracht hat. Mittenwalds Flößer hatten wohl nie ein biedermeierlich behagliches Leben kennengelernt.

An der Anlegestelle der Flößer herrschte reges Leben. Südtiroler mit ihren beladenen Kraxen brachten ihre Waren auf dem Floß von Mittenwald nach München.

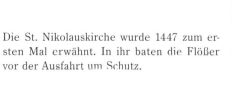

Die St. Nikolauskirche wurde 1447 zum ersten Mal erwähnt. In ihr baten die Flößer vor der Ausfahrt um Schutz.

oben: Tirols Erzherzog Sigismund und seinem aufwendigen Lebensstil ist es zu verdanken, daß die Bozner Märkte nach Mittenwald verlegt wurden. Dadurch erhielt der Markt internationales Ansehen.

unten: Mittenwalds Chronist Baader erzählt, während des Bozner Marktes sei das Leben aufregend und abwechslungsreich gewesen.

Venezianische Kaufleute erwarten am Hafen die Ankunft ihrer mit Gütern aus dem Orient beladenen Schiffe.

Die Rache der Venezianer

„Es gibt selten einen Schaden, ohne Nutzen!" Diese Redewendung läßt sich auch auf die Verlegung der Bozner Märkte nach Mittenwald anwenden. Bozen war im ausgehenden 15. Jahrhundert eine blühende Stadt. Sie wurde von dem Tiroler Erzherzog Sigismund beherrscht, der den Beinamen „der Münzreiche" trug. Dennoch benötigte er ständig Geld, um seinen aufwendigen Lebensstil finanzieren zu können. Ein Dorn im Auge war ihm die ständige Erweiterung des Machtbereiches der Stadt Venedig. Angestiftet von einigen seiner Gläubiger, zu denen auch die Fugger zählten, unternahm der Erzherzog 1484 einen Raubzug und beschlagnahmte die Bleigruben von Primör, die im Besitz der Lagunenstadt waren. Venedig verlangte Schadenersatz und

drohte mit einem Handelsboykott. Sigismund rüstete auf und griff an. Außerdem ließ er 130 venezianische Kaufleute in Bozen in den Kerker werfen und ihr Gut sicherstellen. Um sich zu rächen, besuchten die Kaufleute zum Teil den Bozner Markt nicht mehr und hielten nach einer neuen Möglichkeit Ausschau. Sie wählten nach und nach Mittenwald zur Niederlage ihrer Waren und Abrechnungen mit den deutschen Kaufleuten. 192 Jahre währte die Zeit, die zur Glanzepoche „Media silvas" wurde. „Das Leben im Markt war aufregend und abwechslungsreich, die Straßen oft überfüllt, wenn an manchen Tagen große Fuhrwagen, von vielen Rossen bespannt ankamen. Das Auf- und Abladen der Waren verursachte große Geschäftigkeit, die dem Markt das Ansehen eines pulsierenden Handelsplatzes gab." (Baader) Vor allem

am Platz vor dem Ballenhaus, einem alten Gebäude mit zwei großen Toren, trafen sich Handelsleute aus aller Welt. Mittenwald erhielt internationale Bedeutung. Im Ort gab es Fuhrleute, die das ganze Jahr hindurch mit 20 und mehr Pferden unterwegs waren. Der lebhafte Güterverkehr beschäftigte nicht nur sie und die Pferdebesitzer, sondern brachte auch den Ladern, Praxern, das waren Gehilfen, den Wirten, Wagnern, Schmieden und anderen Handwerkern gute Verdienste. Doch 1679 wurde der Markt wieder nach Bozen zurückverlegt und die goldenen Zeiten nahmen ein Ende. Zu allem Unglück ließen die Bischöfe von Augsburg eine neue Straße bauen. Sie brachte den Handelsverkehr weiter westlich über Reutte und Füssen nach Augsburg, für Mittenwald ein großer Verlust.

So freundlich wie diese Soldateska waren die Söldner nicht, die in den Kriegsjahren nach Zurückverlegung des Bozner Marktes Mittenwald heimsuchten.

Postkutschen und ein Zar

Während des Spanischen Erbfolgekrieges, des Bauernaufstandes, im Österreichischen Erbfolgekrieg und in den Koalitionskriegen von 1796 und 1805 brachten ständige Truppendurchzüge eigener, verbündeter und feindlicher Streitkräfte Plünderungen, Brandstiftungen, Kontributionen und Requirierungen Not und Elend über den Ort. Mittenwalds Chronist Josef Baader berichtet über Getreidemangel nach Mißernten und Teuerung: „Die Teuerung begann auch zu Mittenwald, sie war aber immerhin leidlich, während im Bayerland der Getreidemangel von Tag zu Tag zunahm, die Stadt München konnte nur kümmerlich mit Brot versehen werden und die Getreidesperre gegen Ausländer hatte bereits Platz gegriffen. Im Jahr 1771 hielt die Teuerung in hohem Grade an..." Die Ausfuhr von Getreide und Mais nach Mittenwald wurde verboten, deshalb wurde im Markt mehr Getreide angebaut als früher. Doch nach Regen folgt bekanntlich Sonnenschein. Auch in Mittenwald ging es wieder bergauf. Allmählich belebte Postkutschenverkehr die alte Straße: „Täglich kommen hochbepackte Karossen großer Herren und reicher Leute aus allen Teilen Europas durch den Markt." Baader erinnert weiter: „Mittenwald war, wenn ich nicht irre, im Jahre 1822 der Ort, wo der Kaiser Alexander von Rußland und der König von Württemberg eine zweitägige Zusammenkunft hielten, als ersterer zum Kongreß der Mitgliedstaaten der Heiligen Allianz nach Verona reiste." Die Mittenwalder haben sich trotz schlechter Zeiten nie entmutigen lassen. Die jahrhundertelange Berührung mit Geschäftsleuten aus aller Welt machte sie wendig, unternehmungsfreudig und sprachgewandt. Bald nach der Aufhebung des Bozner Marktes gründeten sie Faktoreien und zogen als Hausierer und Händler mit ihren Waren auf dem Buckel in die Welt hinaus. In ganz Deutschland, in Österreich, Böhmen und Ungarn waren sie zu finden, einige kamen sogar in Spanien und Sizilien zu ansehnlichen Stel-

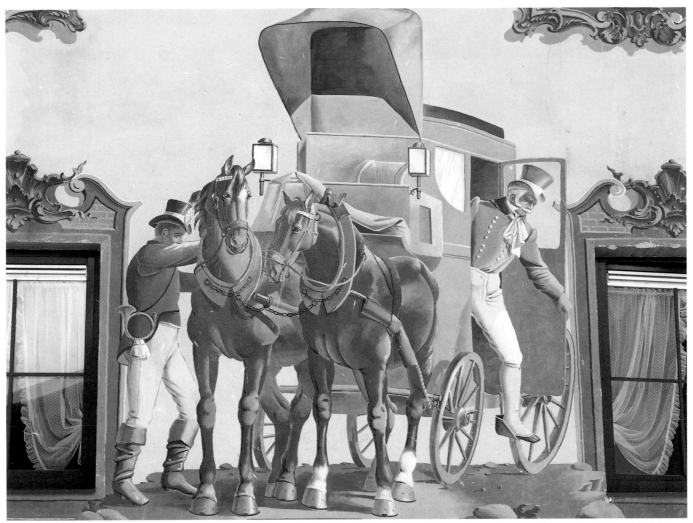

Um 1800 belebte Postkutschenverkehr die alte Handelsstraße. Im Jahr 1822 soll sogar Kaiser Alexander von Rußland in Mittenwald Station gemacht haben.

lungen bei Hof. Bis ins 18. Jahrhundert hinein gab es in aller Welt von Mittenwaldern gegründete Niederlassungen und Handlungen. Besucht man heute ein Tabak- oder Schreibwarengeschäft im Gries und Obermarkt, so kann der Kunde noch viel von der ursprünglichen Geschäftstüchtigkeit und Sprachgewandtheit spüren. Zu den rührigen Männern von damals gesellten sich bald andere, die in ihren Kraxen eine kostbare Ware in die Welt hinaustrugen und damit einen neuen Wohlstand für den Karwendelort begründeten.

Ein Himmel voller Geigen

Nach dem Untergang des Bozner Marktes trug der Geigenbau zu neuem Wohlstand in Mittenwald bei. Die Kunst begründete der einheimische Matthias Klotz, der von 1653 bis 1743 lebte. Auch heute wird das Handwerk noch fleißig betrieben.

„Der in dürftigen Verhältnissen lebende Mittenwalder Urban Klotz hat, angeregt durch die Kunde, in Italien stehe die Geigenbaukunst in höchster Blüte, bestimmt, seinen Sohn Matthias dieses edle Handwerk erlernen zu lassen." So lautet eine alte Überlieferung von den Anfängen des Geigenbaues im Karwendelort. Der Gedanke des Vaters war ideal, zu ihm beigetragen haben mag wohl das Beispiel eines in Tirol lebenden Geigenmachers. Von ihm, Jakob Stainer aus Absam bei Innsbruck, wird erzählt, er habe im Gleirschtal und anderen Tälern der bayerischen Alpen unermüdlich für seine Geigen geeignetes Holz wie das der Haselfichte gesammelt: „Bald zog er einen Hammer aus der Tasche, um damit an einen Stamm zu schlagen und sein Tönen zu behorchen, bald blieb er stehen bei alten Stämmen, deren Wipfel und Äste im Absterben waren, dann hinwieder besah er sich die gefällten Stämme und ihre Schnittflächen und Jahre. Wurden gefällte Stämme von ihren hohen Standorten über jähe Berghänge ins Tal hinabgerollt, so saß er seitwärts auf einem Felsblock und lauschte den Tönen, die sie im Sturze von sich gaben. Diejenigen Stücke, die ein besonders auffallendes Singen hören ließen, wählte er zu seinem Geschäfte aus." Urban Klotz vermutete nicht zu Unrecht, daß hier in den Wäldern um Mittenwald besonders qualifiziertes Holz für den Geigenbau wuchs. Wohin er seinen Sohn Matthias in die Geigenbaulehre schickte, ist nicht sicher auszumachen. Der weltberühmte Nicolo Amati im oberitalienischen Cremona kann es nicht gewesen sein, denn bei Arbeiten von Klotz oder bei denen seiner unmittelbaren Schüler konnte nicht die geringste Annäherung an Cremoneser Arbeitsweisen gefunden werden. Das Klotz-Modell trägt Merkmale, die direkt auf

Jakob Stainer deuten. Die Geige Stainers ist derart einmalig und eigenwillig, daß sie nicht auf die typische Amatiform hinweist. Wie dem auch immer sei, Matthias Klotz gründete in Mittenwald eine eigene Werkstatt und schweifte wie seinerzeit Jakob Stainer in den Wäldern umher, um geeignetes Holz für seine Geigen auszuwählen. Der Ruf seiner hervorragenden Instrumente verbreitete sich zunächst über den Hausiererhandel. Die Nachfrage stieg von Jahr zu Jahr. Mittenwalder Unternehmergeist eröffnete den Handel mit Übersee. Jährlich, so heißt es, schwammen viele tausend Saiteninstrumente über den Ozean.

Der Geigenbau brachte wieder Geld in den Karwendelort. Das Handwerk war hoch angesehen. In Italien lernten sogar Patriziersöhne diese Kunst. Klöster und Städte waren gute Abnehmer der Instrumente, auf dem Wasser der Isar gelangten die Geigen nach Passau, Wien und Budapest. Hausierer und Verleger sorgten für den Verkauf. Der Geigen- und Instrumentenbau hat alle Stürme überstanden. Kommt man heute an der Staatlichen Berufsfachschule für Geigenbau und Zupfinstrumentenmacher an der Partenkirchenerstraße vorüber, kann der Betrachter im Sommer vor ihren Fenstern oder im Winter im Gang, in langen Reihen aufgehängt, „weiße" Instrumente sehen. Dies dient der natürlichen Bräunung des Materials. Dem Prozeß vorausgegangen ist die jahrelange Lagerung des sorgfältig ausgewählten Holzes sowie die Anfertigung und Zusammensetzung eines Instrumentes in höchst mühevoller Handarbeit. Viele Jahre vergehen, bis ein Geigenkunstwerk in die Welt geschickt werden kann. Zahlreiche Mittenwalder Geigenbaumeister sorgen heute noch immer dafür.

oben: 90 Jahre alt und noch immer rüstig: Geigenbauer Matthias Klotz, Nachfahre des ersten Geigenbauers unterm Karwendel.

rechte Seite: König Ludwig I. gründete im Jahr 1858 die staatliche Geigenbauschule. Hier erlernen Schüler aus aller Welt das edle Handwerk.

unten: Das Denkmal des Matthias Klotz schuf der Münchner Erzgießer Ferdinand von Miller 1890. Es steht vor der Südfassade der Pfarrkirche.

oben links: In der Geigenbauschule werden nicht nur neue Instrumente hergestellt. Das Erlernen wie man alte Instrumente restauriert, ist ebenso von Bedeutung.

oben rechts: Die Lackierung einer Geige erfordert Geduld und Geschick.

mitte-rechts: Ein Geigenbauschüler bei der Arbeit. Ein Celloboden entsteht.

rechte Seite, oben: Holzlager in der Geigenbauschule. Bevor das Material verwendet wird, muß es lange lagern.

rechte Seite, unten: So mag wohl eine Geigenbauwerkstatt in der Zeit ausgesehen haben, als Matthias Klotz lebte.

unten links: Das Geigenbaumuseum in der Ballenhausgasse präsentiert sich schon von außen als Kunstjuwel: Licht, Farbe und Form bilden eine Einheit. Hier findet der Besucher neben Bauernmöbel und alten Trachten zahlreiche Beispiele verschiedener Streichinstrumente.

unten rechts: Wertvolle Mittenwalder Streichinstrumente sind in dieser Vitrine des Geigenbaumuseums vereint. Sie können „rotierend", also von allen Seiten, bestaunt werden.

Kultur im stillen Tal

Schloß Elmau ist von Mittenwald aus über den Ferchensee zu erreichen. Pfingsten 1996 feierte es seinen 80. Geburtstag. Hier finden das Jahr über Konzerte mit Künstlern von internationalem Rang statt.

Von Mittenwald gelangt der Wanderer über Lauter- und Ferchensee in ein abgeschiedenes Hochtal am Fuße der Wettersteinwand. Man nennt es Elmau, was soviel wie Ulmenau bedeutet. Die grüne Fläche wurde früher von einem Kirchlein und einigen Häusern belebt. Der Ursprung des kleinen Gotteshauses geht vermutlich in die Zeit der Gotik zurück. Im Jahre 1778 wurde es im Rokokostil erbaut und erstrahlt seit dem Pfingstfest 1996 in neuem Glanz. Sehenswert sind vor allem Innen- und Außenfresken der Kappelle, die der Telfser Maler Joseph Degenhart schuf. Bevor der Besucher das Innere betritt, erblickt er über dem Eingang eine Darstellung der Heiligen Familie, wie sie vor der Verfolgung des Königs Herodes nach Ägypten flüchtet. Links davon ist der heilige Andreas zu sehen, der rechte Heilige ist nicht mehr sicher zu identifizieren. Besonders aussagekräftig ist die Darstellung der Krönung Mariens durch die heiligste Dreifaltigkeit am Deckenfresko. Die Kapelle gilt als Juwel von künstlerischer Qualität. Daß sie in unseren Tagen wieder zugänglich ist, verdankt der Liebhaber religiöser Kunst dem „Freundeskreis Elmau", einer Vereinigung, die dem gleichnamigen Schloß angehört. Dieses Schloß feierte zu Pfingsten 1996 seinen 80. Geburtstag. Es wurde 1914 vom Kulturphilosophen und Theologen Johannes Müller in Zusammenarbeit mit dem Architekten Professor Carl Sattler erbaut und in den Pfingsttagen des Jahres 1916 als Erholungsheim eröffnet. „Hier und nirgend anderswo will ich bauen", soll Johannes Müller beim Anblick des schönen und unberührten Hochtales ausgerufen haben. In ihm war der Wunsch nach einer Stätte für Wesensbildung wachgeworden. Das Elmauer Tal schien für sein Vorhaben wie geschaffen. Johannes Mül-

ler konnte trotz der Kriegsnöte seine Idee verwirklichen. Den Gästen wurde nicht nur körperliche, sondern vor allem eine innere Erholung, eine Heilwerdung des ganzen Menschen angeboten. So erlangte die Elmau in wenigen Jahren als „Haus der inneren Einkehr" internationales Ansehen. Das Schloß ist bis heute eine Kultur- und Begegnungsstätte von Weltruf geblieben. Die Musik ist eine tragende Säule; Sänger, Instrumentalisten, Komponisten und Schriftsteller wie Elly Ney, Benjamin Britten, Yehudi Menuhin, Barbara Hendricks, Edith Wiens, Hermann Prey, Luise Rinser und Franz Alt traten und treten hier unentgeltlich auf. Die Tochter des 1949 verstorbenen Johannes Müller, Sieglinde Mesirca, knüpfte Kontakt zu Künstlern rund um den Erdball. Ihr ist es zu danken, daß im großen Schloßsaal noch immer Kompositionen alter und neuer Tondichter meisterhaft interpretiert erklingen. Was damals und heute die Elmau von einem etablierten Kurbetrieb unterscheidet, ist der Zweck und das Ziel des Unternehmens. Es ist nicht der wirtschaftliche Erfolg, sondern der Dienst am Menschen. Die Statuten des Hauses sahen von Anfang an vor, keine Gewinne zu machen. Überschüsse sollen zur Finanzierung für Aufenthalte Minderbemittelter verwendet werden. In unserer merkantilen Welt stellt ein solches Unterfangen eine Seltenheit dar.

Die kleine Rokokokapelle im Elmauer Tal gilt als Juwel künstlerischer Qualität.

oben: Der Gründer von Schloß Elmau, Johannes Müller, war beim Anblick des Elmauer Tales vom ersten Augenblick an begeistert. In diesem abgeschiedenen Hochtal wollte er seine Absicht von der „Heilwerdung des ganzen Menschen" verwirklichen.

rechts: Wer hier zu Füßen des Wettersteins in der „Ulmenaue" Erholung sucht, kann sich des Erfolgs gewiß sein. Unweit vom Schloß steht das „Müller - Haus", in dem Johannes Müller 1949 starb.

Naturschönheiten ohne Zahl

Der Name des Karwendelgebirges soll von einem Bajuwaren, einem „Speerschüttler" herrühren. Spitz und schroff sind jedenfalls die Felsen, die bis zu 2385 Meter hochragen.

links oben: Sucht der Jäger sein Bergwild, oder beobachtet er einen „Geschwärzten"?

rechte Seite: Auch im Winter haben die Berge ihren Reiz. Nicht nur Skifahrern wird beim Anblick dieses Bildes das Herz höher schlagen!

Bergnixen und lohnende Fernblicke

Mittenwald ist umrahmt von Berggipfeln und grünen Kuppen. Markant und gewaltig türmen sich im Osten die Felsen des Karwendelgebirges in die Höhe, hinauf bis zur 2385 Meter hohen westlichen Karwendelspitze. Es handelt sich hier um das älteste Naturschutzgebiet Deutschlands und um den geringst besiedelten Raum Europas. „Karwendel" rührt von einem althochdeutschen Personennamen her, von „Gerwntil", das bedeutet Speerschüttler. Ein Bajuware dieses Namens soll im Gebiet der heutigen Hochalm im Karwendeltal gewohnt haben. Er gab vielleicht dem Gebiet diesen Namen, der später auf das gesamte Gebirge übertragen wurde. Irrig, aber doch einsichtig mag die Erklärung sein, Karwendel werde vom venetischen Wort „Kar", das ist der Felsen, abgeleitet. Die Veneter gelten für den Mittenwalder Raum als die ersten Siedler. Das wildzerklüftete Karwendelgebirge, an der Grenze zu Tirol gelegen, war in früher Zeit

ein ideales Gebiet für Schmuggler und Wilderer. Hier konnten sie auf Schleichwegen ihre Beute über die Grenze bringen. Ob dies gänzlich der Vergangenheit angehört, mag der geneigte Leser selbst entscheiden.

Wer berggerecht ausgerüstet den Karwendel ersteigt, wird mit Ausblikken belohnt, die an Föhntagen im Süden zum Großglockner und Großvenediger reichen. Der Mittenwalder Höhenweg erschließt viele Gipfel der 18 Kilometer langen nördlichen Karwendelkette. Es geht am Grat von Spitze zu Spitze, immer mit faszinierenden Fernblicken, bis zu den Kämmen der Zentralalpen. Die Tour erfordert Trittsicherheit, Schwindelfreiheit und Ausdauer. Sie ist anspruchsvoll und währt einen ganzen Tag. Wen die Füße nicht mehr tragen, der kann mit einer Seilbahn in sechs Minuten auf 2244 Meter hinaufschweben. Oben, im Bereich der Bergstation, erwarten ihn aussichtsreiche leichte Wege. Im Winter darf der geübte Skifahrer durch das Dammkar ins Tal hinabrauschen. Die wildromantische Karwendelwelt ließ auch Sagen sprießen. So die vom

Hirtenknaben, der Gold in der Isar fand. Neidische Bergnixen ließen es wieder versiegen. Das Erzfräulein, so wird erzählt, wohnt inmitten unbeschreiblicher Schätze tief im Berg. Sie wird von Drachen bewacht und geistert um Gipfel und Erzgrube. Einen „Karwendelgeist" gibt es natürlich auch. Dieser Sünder geht als Bär um und verbreitet Krankheiten unterm Almvieh. Einen weit angenehmeren Geist erhält der Wanderer in den Berghütten. Es ist ein kräftiger Schnaps, der „Ratzibutz". Er wärmt und läßt die Mühen des Aufstieges bald vergessen.

Die Sagen, welche um das Karwendel geistern, haben einen wahren Hintergrund. Sie hängen mit dem einstigen Bergbau zusammen. In der Isar wurde tatsächlich Gold gewaschen. In der „Erzgrube", wie auch am Fuße des Wettersteins, gruben die Mittenwalder nach Silber, Bleierz und Zinkspat.

Die Karwendelbahn bringt Bergfans sicher und schnell auf 2244 Meter. Wer unter Höhenangst leidet, dem hilft vor der Auffahrt ein doppelter „Enzian".

An Föhntagen reicht der Blick von den Höhen des Karwendel bis zu den Kämmen der Zentralalpen. Wer den Mittenwalder Höhenweg gehen will, benötigt Bergschuhe und muß schwindelfrei sein.

Daß das wildzerklüftete Karwendel Sagen hervorrief, ist verständlich. Ob auch heute noch ein Erzfräulein mitten im Berg wohnt und ein Drachen ihre Schätze bewacht?

Mittenwald von oben: Man sieht, wie sich der Ort in dem engen Tal ausgebreitet hat. Über dem westlichen Ortsrand erhebt sich der Kranzberg, links liegen Lautersee und Ferchensee von grünen Hügeln umgeben.

oben: Vor der bewirtschafteten Dammkarhütte läßt sich´s nach einer anstrengenden Bergtour gut leben!

unten: Für Spaziergänger im Bereich der Bergstation reichen Turnschuhe. Beaufsichtigte Kinder haben in der Höhenluft auch ihren Spaß.

rechte Seite: Geübte Skifahrer können bis weit in das Frühjahr hinein die Dammkarabfahrt genießen.

Naturdenkmal und Kuriosität

Am südlichen Ortsrand von Mittenwald erwartet den Naturfreund die
imposante Leutaschklamm. Der Weg
zu ihr führt am Fuße des Burgberges
entlang. Hier steht die „Höllkapelle".
Sie wurde zum Schutz der oft bierse-
ligen und weinberauschten Wanderer
vor dem fürchterlichen Klammgeist
errichtet. In einer Nische der senk-
rechten Wand vor der Klamm findet
sich eine Statue des heiligen Johannes, des Schutzpatrons gegen das
Hochwasser. Die Klamm ist nicht nur
ein schönes Naturdenkmal, sondern
auch zugleich ein geographisches
Kuriosum. Am Eingang, der unvermit-
telt vor einem auftaucht, verläuft die
deutsch-österreichische Grenze. Ge-
naugenommen befindet sich der Besucher im Innern der Klamm in Tirol, dieser erschlossene Teil aber ist
von österreichischer Seite aus nicht
erreichbar. Die nördliche Wand gehört zum Wettersteingebirge, die linke zum Wildsteigkopf der Arnspitz-
gruppe. Der Wanderer kann auf einem gut gesicherten Laufsteg über
der reißenden, eiskalten Leutascher
Ache in die Klamm vordringen. Plötz-
lich hindert eine Felsmauer das Wei-
terkommen, die Klamm ist hier nach
175 Meter zu Ende. Vor dem Besucher
stürzt die Ache in jähem Fall in die
Tiefe. In Jahrtausenden hat sich das
Wasser in die Felsstufe zwischen dem
hochgelegenen Leutaschtal und dem
tiefer liegenden Isartal eingegraben.
Von Mai bis Anfang August erstrahlt
in den frühen Morgenstunden durch
den günstigen Sonnenstand ein wun-
dervoller Regenbogen am Wasserfall.

rechts: In Jahrtausenden hat sich das Wasser
der Leutascher Ache in die Felsstufe eingegraben. Ein Besuch in der Klamm bietet ein
grandioses Naturschauspiel.

rechte Seite: Nur zwischen Mai und August in
den frühen Morgenstunden zu sehen: der Regenbogen am Wasserfall.

Das Kranzberggebiet im Westen Mittenwalds umfaßt unzählige Wandermöglichkeiten und bietet schöne Ausblicke. Der hungrig und durstig gewordene Spaziergänger findet genügend Möglichkeiten zur Einkehr.

rechte Seite: Herbstgewitter künden oft den ersten Kälteeinbruch und Schneefälle im Hochgebirge an.

Wanderfreuden ohne Mühsal

Wir haben Naturschönheiten von Osten nach Süden erwandert. Dort, wo die Sonne untergeht, liegt der Kranzberg, ein lohnender Aussichtspunkt und Start für Wanderungen, die keiner hochalpinen Erfahrung bedürfen. Ein beliebter Weg führt über den Kalvarienberg, der von Kreuzwegstationen, einer Kreuzigungsgruppe und von einer renovierten Heiligen-Grab-Kapelle gesäumt wird, hinauf zum „Hohen Kranzberg". Zuvor passiert der Wanderfreund das sogenannte „Kaffeefeld". Der exotisch klingende Name rührt von früher her. Hier dehnten sich Gerstenfelder aus. Die Mittenwalder fabrizierten aus der geernteten Gerste ihren „Kaffee". Latschen und Heidelbeersträucher säumen den Weg, der über St. Anton zum Gipfel führt. Es ist erstaunlich, welch herrliche Rundsicht hier oben den Spaziergänger erwartet. Ein „Kranz von Bergen" erschließt sich dem betrachtenden Auge. Vier Seen liegen am Fuß des Berges: Wildensee, Luttensee, Lautersee und Ferchensee. Die bei-

den letztgenannten bieten im Sommer Badefreuden für jung und alt. Im Jahr 1305 nannten die Bewohner des Karwendeltales den Lautersee „Lautse". Das dauerte etwa 200 Jahre, dann formte sich die jetzige Bezeichnung, die mit rein oder klar in Verbindung gebracht wird. Viele Gewässer haben ihre tiefste Stelle in der Mitte, nicht so der Lautersee. Er läßt einen in der Nähe des Südufers in das Wasser geworfenen Stein 18 Meter in die Tiefe sinken. Den See umgeben Wiesen und Wälder. Im Herbst mischen sich in das Grün der Nadelbäume die flammenden gelben Lärchen. Wenn sich an einem Sonnentag noch das Karwendelgebirge mächtig im Wasser spiegelt, ist das Glück vollkommen. Von hier aus kann man zu einer weiteren Perle, dem Ferchensee gelangen. Er liegt unter dem Grünkopf und wird von Wassern des Kranzberges und des Wettersteins gespeist. Wenn man den Sprachforschern glauben darf, so rührt der Name vom althochdeutschen „forhana" her, der Forelle. Diese Sorte tummelt sich zahlreich im See, blau oder gebraten stellt sie

zusammen mit einem trockenen Weißwein genossen eine kulinarische Köstlichkeit dar. Rund um den See zeigen sich Verlandungserscheinungen, die Schattenlage läßt im Winter die Wasseroberfläche schnell und nachhaltig zufrieren. Die breite Furche zwischen Grünkopf und Hohem Kranzberg ist ein Produkt der Eiszeit, sie ist die Wasserscheide von Isar und Loisach. Blumen, so sagt ein Spruch, sind Boten aus einer anderen Welt. Am Kranzberggebiet finden sich viele dieser Boten, so eine geschützte Blume, der „Frauenschuh". Er zählt zur Familie der Orchideen. Im Mai findet der Blumenliebhaber auf den Buckelwiesen in Richtung Klais blaue Teppiche vor. Hier wachsen unzählige stengellose Enziane, die im Mittenwalder Dialekt „Blobler" genannt werden. Damit schmückt manch junger Bursche seinen Hut und steckt noch einige „Schmalzer", die goldfarbigen Aurikel dazu. Ihr Name leitet sich von den graugrünen, fettigen Blättern ab.

„Über allen Gipfeln ist Ruh´, in allen Wipfeln spürest du kaum einen Hauch...“. Möglicherweise wären Goethe die Gedichtzeilen auch bei dieser Abendstimmung am Kranzberg eingefallen.

Nach Norden hin weitet sich das Isartal und die Berge treten mehr und mehr zurück. Nachdem sich die letzten Morgennebel aufgelöst haben, ist an einem Herbsttag der Blick in die Ferne besonders reizvoll.

linke Seite: Wenn sich der Tag neigt, wird es ruhig am Lautersee. Kahnfahrer und Schwimmer sind wieder nach Mittenwald zurück, nachdem sie Sonne und Wasser genossen haben.

oben: Die Kapelle am Lautersee wurde im Jahr 1995 eingeweiht. In ihrem barocken Stil paßt sich das kleine Gotteshaus gut der Natur an.

unten: Auf den Wanderungen zum Lautersee und Ferchensee taucht nach Wegbiegungen immer wieder die wuchtige Wettersteinwand auf. Sie ist Teil des Wettersteingebirges, das sich nach Partenkirchen hin fortsetzt.

oben: Der „Frauenschuh" ist eine vom Aussterben bedrohte Blume. Er ist geschützt und darf nur in der Natur bewundert werden.

rechts: Inmitten von Wäldern und Bergen gelegen ist der Ferchensee ein lohnendes Ausflugsziel.

Eine Sinfonie der Farben: Trollblumen, Enziane und Mehlprimeln.

Viele Quellen – ein Fluß

Ursprünge von Bächen und Flüssen geben immer Rätsel auf. So wird von der Isar lapidar gesagt, sie entspringe im Tiroler Karwendelgebirge. Es ist auch die Rede, daß sie eine „Mutter" und einen „Vater" habe. Über Quelle und Erklärung des Flußnamens seien folgende Gedanken zitiert: „Dichter Pestwurzdschungel säumt die Ufer, wo sich die jugendliche Isar oberhalb von Scharnitz ihren Weg durch den groben Kies des Karwendelgebirges bahnt. Der Oberlauf ist die Kinderstube der Isar. Wie das Blutsystem in Adern und feinen Kapilaren unseren Körper durchzieht, so wird das Herz des Karwendels durch unzählige Rinnsale und Bäche entwässert. Nicht eine einzige Quelle bildet den Ursprung der Isar; es ist eine ganze Region, 400 Quadratkilometer groß, die den Oberlauf mit Grund- und abfließendem Regenwasser speist. Hier oben in der Quellregion kann man sich den Luxus noch leisten, direkt im Bergbach seinen Durst zu löschen. Das kalte Isarwasser hat Qualität: weich mit einem herbfrischen Nachgeschmack." (Charivari) Und was bedeutet „Isar"? „Sehr umstritten sind die Spekulationen des Sprachforschers Adolf Bach, der den altisländischen Begriff „eisa" für „eilend" oder „reißend" als Wurzel für „Isar" sieht. Als weit wahrscheinlicher gelten die Überlegungen von Hans Bahlow. Der Namenswissenschaftler betrachtet das „Is" in „Isar" als Lautvariante von „as, os, us", die allesamt die historische Bedeutung von Sumpf und Moorwasser haben. Als weiteres Indiz für diese Theorie ist die Siedlungsgeschichte im Isartal anzuführen. Die ersten Bevölkerungsgruppen aus der Levante, die die wenigen mittelsteinzeitlichen Jäger und Sammler ablösten, waren Ackerbauern, und Viehzüchter. Der Donau folgend, besiedelten sie vor über 6000 Jahren die fruchtbaren Lößgebiete Bayerns. Diese Menschen entdeckten die Isar vom Unterlauf her. Für die jungsteinzeitlichen Bauern war die Isar nicht der reißende Gebirgsfluß bei Mittenwald, sondern der langsam fließende Strom mit seinen ausgedehnten Augebieten, der sich östlich vom heutigen Deggendorf mit der Donau vermählt. Die populäre Übersetzung des Wortes „Isar" als die „Reißende" gibt zwar der Sehnsucht nach wildschöner Bergromantik Ausdruck, ist aber dennoch falsch." (Charivari) Über diesen Überlegungen sollen aber nicht die Schönheiten vergessen werden, welche die Isar bietet, sowie Berge, Wälder, Sträucher und Blumen, die zu beiden Seiten die Ufer säumen. Das Wasser jedenfalls ist an einigen Stellen reißend und darum nicht ganz ungefährlich, sein Anblick wirkt auf den Betrachter beeindruckend und weckt ungewollt einen Hauch wildschöner Bergromantik, so am Ufer zwischen der Landesgrenze und Mittenwald. Gewaltig erheben sich die Felsen über den Fluß, wenn man von Krün nach Süden blickt. Karwendel, Reiterspitz und Arnspitzen präsentieren sich wie Könige, die sich ihrer Bedeutung bewußt sind. Die Isar, deren Wogen sich zehn Kilometer nördlich vom Geigenbauort glätten, fließt über Bad Tölz zur bayerischen Landeshauptstadt und nimmt danach behäbig und breit ihren Weg nach Niederbayern. Mit ihrer Gesamtlänge von 263 Kilometern ist sie nach Donau und Main der drittgrößte Fluß des Freistaates.

Vermittelt einen Hauch von Bergromantik: die Isar zwischen der Landesgrenze und Mittenwald.

Brauchtum im Jahreskreis

*Im Ort unterm Karwendel
haben sich viele Bräuche erhalten.
Im Fasching ist der halbe Markt auf den
Beinen, um das bunte Treiben zu erleben.
Doch auch zu den anderen Jahreszeiten
pflegen die Mittenwalder kirchliches
und weltliches Brauchtum.*

Nicht nur Einheimische kommen in Scharen, um die „Schellnrührer" zu erleben. Am „Unsinnigen Donnerstag" nach dem Mittagläuten ziehen sie durch die Straßen.

Kirchliche und weltliche Bräuche gehören seit uralten Zeiten zum menschlichen Leben. Ohne sie wäre das Dasein eintönig und sinnlos. Feste und Feiern schenken uns Freude, Besinnung und Abwechslung. Unterm Karwendel hat sich ein lebendiges Brauchtum erhalten, das weder Selbstzweck, noch „Aushängeschild" für den Tourismus ist. Die alten Gepflogenheiten haben ihren tiefen Sinn und weisen zurück in heidnische Zeiten. Oft erhielten sie durch das Christentum einen veränderten Akzent oder entstanden erst anläßlich kirchlicher Feste.

Wir wollen zuerst vom Fasching erzählen: *„Wenn am ‚Unsinnigen Don-*

nerstag' vom Turm der Pfarrkirche die Glocken Mittag läuten, dann setzt sich ein eigenartiger Zug in Bewegung. Die Schellenrührer ziehen durch den Markt. Sie tragen Holzlarven, die mit einem weißen Tuch am Kopf festgebunden sind, einen grünen Hut mit Adlerflaum, die Lederhose und ein weißes Hemd, von dem sich die buntgestickten Hosenträger lustig abheben. Um den Leib haben sie einen breiten Gurt, an dessen Rückseite die größeren und kleineren Glocken hängen, wie sie das Vieh auf Alm und Weide um den Hals trägt. An den Händen halten diese Schellenrührer ein mit Buchs und Bändern verziertes Rütlein. Ein wunderschön bekleideter Vortänzer geht dem Zug voraus,

ein anderer läuft immer wieder auf und ab. In eigenartigem Rhythmus hüpfen und springen sie hin und her und setzen dadurch die Schwengel der Glocken in Bewegung. Jeder rechte Mittenwalder ist bei diesem Brauch gern einmal dabei". Der von Josef Baader so trefflich geschilderte Brauch geht auf die alten heidnischen Frühlingsfeste zurück, wo man durch Lärm den Winter und die bösen Geister verscheuchen wollte, er hat sich bis in unsere Tage erhalten, wie Adolf Rehm berichtet: *„Geht man am Unsinnigen Donnerstag durch Mittenwald, so ist ab 12 Uhr mittags der ganze Markt auf den Beinen. Maschkera, die sich in bunter Reihenfolge ablösen, ziehen durch den*

Wer sich wohl hinter dieser schönen Holz-maske verbirgt? Die handgeschnitzten Larven sind kleine Kunstwerke.

Die drei „Maschkara" auf unserem Bild vermitteln etwas von der Unheimlichkeit des Aus-treibens der Winterdämonen. Gleichzeitig stimmen sie mit ihren bunten Kostümen auf den Frühling ein.

Obermarkt von einer Wirtschaft zur an-deren, Einheimische wie Gäste schau-en zu und weiden sich an diesem wech-selvollen, urwüchsigen Geschehen, wie man es vielseitiger kaum mehr finden kann." Zur bunten Vielfalt tragen bei diesem Faschingstreiben auch die „Jacklschutzer" bei. Auf einer Plane, die von vier mit Pferdenetzen ver-mummten Gestalten in Lederhosen gehalten wird, liegt eine lebensgro-ße Strohpuppe, der „Jackl". Sie soll den Winter darstellen, der besiegt ist. Durch Straffziehen des Tuches wird die Puppe immer wieder mit jubeln-den Schreien in die Höhe geworfen, d. h. im Dialekt „geschutzt". Das wich-tigste Attribut der „Maschkera", der Maskenträger, sind selbstgeschnitzte Larven. Rehm meint: *„Von diesen star-ren, stilisierten Holzgesichtern, die mit ihren kräftigen Farben und den über-großen Augen trotz aller Unbeweglich-keit oft so ausdrucksvoll und lebendig sind, geht ein eigentümlicher Zauber aus. Die meisten verraten eine geübte Hand und sind vollendete Kunstwerke."*

Wie in Partenkirchen, so wurden auch in Mittenwald die ersten bekannt ge-wordenen Masken um das Jahr 1790 geschnitzt. Wer sollte es wohl ande-res gewesen sein, als die Geigenma-cher des Ortes? Die Mittenwalder Holzlarven unterscheiden sich von denen aus anderen Ortschaften durch ihre einfache Form und sparsame Bemalung. Das macht sie besonders reizvoll. Nach altem Volksglauben waren die Masken keine toten Gesich-ter. Sie lebten, die bösen und guten Kräfte steckten wirklich hinter diesen Grimassen.

Nun aber zu einem kirchlichen Brauch. Der Palmsonntag ist der Tag der Palmweihe. Er erinnert an den Einzug Jesu in Jerusalem und daran, daß ihm die Menschen mit Palmzwei-gen in den Händen zugejubelt haben. In Mittenwald kommen in den Palm-buschen Eiben, Kranebitten, Ham-mellaub, Palmkätzchen und als Beson-derheit ein Ölzweig. Nach dem Got-tesdienst gehen die Kinder zu Ver-wandten und Freunden und bringen

einen geweihten Buschen. Dafür er-halten sie ein Geschenk. Am Nach-mittag des Christi Himmelfahrtstages findet in der katholischen Pfarrkirche St. Peter und Paul eine Zeremonie statt, die inzwischen im bayerischen Oberland einzigartig sein dürfte, die „Himmelfahrtsfeier". Eine Statue des Auferstandenen steht mit Blumen und Kerzen geschmückt auf einem klei-nen Altar direkt unter der Öffnung des Deckengewölbes. Dann wird die Jesusfigur mittels einer Handkurbel hinaufgezogen, begleitet von feierli-chen Musikklängen und den Blicken der Gläubigen, bis der Heiland sich „im Himmel" befindet. Nach altem Volksglauben ziehen in der Himmels-richtung die gefährlichen Sommerge-witter auf, in die sich die Statue ge-dreht hat. In der Reihe der kirchlichen Feiern und der damit verbundenen Sitten folgt das Fronleichnamsfest mit der großen Prozession, bei der das eucharistische Brot in einer großen goldenen Monstranz zur Verehrung durch die Straßen des Ortes getragen

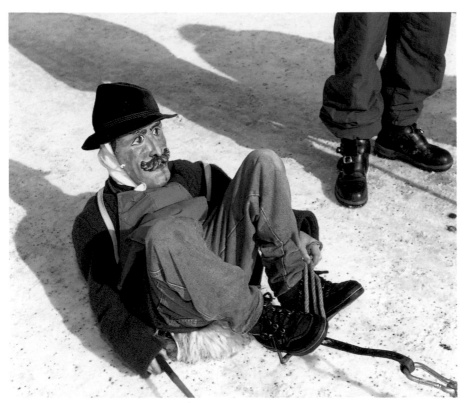

oben: Natürlich bestreiten nicht nur die Erwachsenen das Mittenwalder Faschingsgeschehen. Kinder und Jugendliche sind ein wichtiges Element der Brauchtumspflege.

unten: Viele schöne Holzlarven sind hier vereint. Am Aschermittwoch werden sie in Holztruhen verwahrt, denn nach dem Fasching verbreiten sie Angst.

wird. Wenn der Herbst eingezogen ist, erklingt auch heute noch von manchen Bäumen des Karwendelortes ein von Buben gesungenes Lied mit den Worten „Eiajuche, eiajuche, Kirchta, bleib do!" Es handelt sich dabei um das am Kirchweihsamstag, Sonntag und Montag gesungene Mittenwalder „Kirchta-Lied".

Zum Ausklang dieser kleinen Übersicht Mittenwalder Bräuche sei noch vom Krippenbauen gesprochen. In der Pfarrkirche wird dazu eigens der Altar der rechten Seitenkapelle verdeckt, um rechtzeitig zum Heiligen Abend die große Weihnachtsdarstellung zeigen zu können. Die Krippe blieb mit wechselnden Szenen aus dem Evangelium bis Ostern an diesem Platz; eine Sitte, welcher die „Hackl-Schwestern" bis vor einigen Jahren unermüdlich nachkamen.

Daß die Tradition in unseren Tagen zum Fest Christi Himmelfahrt fortgesetzt werden kann, verdankt die Gemeinde zwei jungen Mittenwaldern, die mit viel Phantasie und Einfühlungsvermögen die Kirchenkrippe weiterbauen und ihr neue Szenen hinzufügen. Das Aufstellen des „Krippale" gibt es auch in vielen Mittenwalder Häusern. Die Darstellungen bleiben vielfach bis zum Dreikönigstag am 6. Januar. Das Vorbereiten und Errichten der Krippe ist für manches Familienoberhaupt ein die Nerven strapazierendes Unterfangen. Doch wenn am Abend des 24. Dezember alles heil und unzerbrochen am Platz steht, so glättet sich manch gerunzelte Stirn und ein mildes Lächeln steht auf dem Gesicht des Krippenbauers – zur wahren Weihnachtsfreude der ganzen Familie.

oben: Eiben, Kranebitten, Hammellaub und Palmkätzchen gehören von alters her in einen Mittenwalder Palmbuschen. Nach der Palmweihe werden aus dem großen Gebinde kleine Sträuße zusammengetan und verschenkt.

unten: Die Palmprozession ist ein alter kirchlicher Brauch. Im Karwendelort bewegt sich das feierliche Geschehen vom „Kreuzhof" zur Pfarrkirche.

oben: Die Mittenwalder Blaskapelle tritt mit ihrer schmissigen „Musi" nicht nur am 1.Mai in Aktion!

unten: Etwas skeptisch verfolgt das kleine Dirndl die Arbeit der Maibaumaufsteller. Über der Konzentration scheint die „Brotzeit" fast in Vergessenheit zu geraten.

linke Seite oben: Das „Maibaumaufstellen" ist ein vergleichsweise junger Brauch. Auch im Geigenbauort ist er beliebt und fordert von den Akteuren Kraft und Geschick.

linke Seite unten: Ein wieder auflebender Brauch ist auch in Mittenwald des Errichten eines „Heiligen Grabes". Es steht in der Friedhofskapelle St. Nikolaus und erinnert in seiner Anschaulichkeit an barocke Frömmigkeit.

Auch in Mittenwald wird der Fronleichnamstag besonders festlich begangen. Der Ort ist geschmückt, Gebete, Musik und festliche Kleider wollen den „Herrgott" ehren, der in der Monstranz durch die Straßen getragen wird.

Ein Bild voller Lebensfreude: Marketenderinnen in ihrer herrlichen Tracht am Fronleichnamstag.

rechte Seite oben: Die Fahne des Müttervereins wird wie viele andere bei der Prozession mitgetragen. Dahinter kommen Frauen mit Otterfellhauben.

rechte Seite unten: In Mittenwald wird viel musiziert. Hackbrett, „Ziach", Baßgeige und Gitarre geben einen zünftigen Zusammenklang.

„Eiajuche, eiajuche, Kirchta, bleib do. Hama uns schoa lange Zeit auf insan Kirchta gfreit. Eiajuche, eiajuche, Kirchta, bleib do!" – Am Kirchweihsonntag ertönt das alte Lied vor dem Geigenbaumuseum.

Wer herzhaft lachen will, sollte eine Aufführung des Mittenwalder Bauerntheaters keinesfalls versäumen. Hier sind noch wirkliche „Originale" zu finden.

Freilichttheater in der Ballenhausgasse anläßlich der Feierlichkeiten zum Bozner Markt-Jubiläum.

Mit viel Liebe und Geschick wird die Weihnachtskrippe in St. Peter und Paul aufgestellt: Die Hirten beten das Jesuskind an.

Eine seltene Krippendarstellung ist in der Pfarrkirche zu sehen: die Krönung Mariens. Sie ist zwei jungen Mittenwalder Krippenbauern zu verdanken.

Diese Hauskrippe hat das Geschehen der Geburt Christi nach Bayern verlegt. Nach den Mühen des Aufstellens erfreut sich jeder an dem gelungenen Werk.

„Im Namen Gottes wir anfahrn, / ein Neues Jahr zu singen an. / Ein Neues Jahr, / eine fröhliche Zeit, / ja, die uns Gott vom Himmel geit!"
Mittenwalder Neujahrslied

Bis zum Dreikönigstag wird Mittenwald von vielen Lichtern erhellt. Da lohnt sich ein Spaziergang durch die ruhig gewordenen winterlichen Straßen.

Literaturverzeichnis

Baader, Josef; *Chronik des Marktes Mittenwald;* Mittenwald, 1936

Brunner, Wolf u. a.; *Bozener Märkte in Mittenwald*; Mittenwald, 1987

Eckert, Gerhard; *Oberbayern*; Köln, 1980

Kulturmagazin *Charivari*; München, 1996

Rehm, Adolf und Hildegard; *Lebendiges Brauchtum in Werdenfels*; Garmisch-Partenkirchen, 1994

Schindler, Herbert; *Reisen in Oberbayern;* München, 1985

Staatliches Schulamt Garmisch-Partenkirchen; *Heimatkundliche Stoffsammlung*; Arbeitskreis Mittenwald: Jung, Roßbach, Stichaner

von Vigneau, Ilka; *Werdenfelser Land*; München, 1984

Unser Verlagsprogramm

Hamburg

Alstertal im Wandel, Das

Altona im Wandel

Barmbek im Wandel

Bergedorf, Lohbrügge, Vier- und Marschlande im Wandel

Bramfeld, Steilshoop im Wandel

Eimsbüttel im Wandel

Eine Stadt überlebt ihr Ende – Feuersturm in Hamburg 1943 (Videokassette)

Elbvororte im Wandel (zwei Bände), Die

Eppendorf im Wandel

Finkenwerder im Wandel

Geschichte der Hamburger Wasserversorgung,

Hamburg im Bombenkrieg

Hamburg – Weltstadt am Elbstrand

Hamburger Dom – Das Volksfest des Nordens im Wandel

Hamburgs Fleete im Wandel

Hamburgs Kirchen – Wenn Steine predigen

Harburg im Wandel

Harvestehude, Rotherbaum im Wandel

Konstruktion zwischen Kunst und Konvention

Langenhorn im Wandel

Niendorf, Lokstedt, Schnelsen im Wandel

Rothenburgsort, Veddel im Wandel

Schmidt, Johannes – In Alt-Stormarn und Hamburg

Schumacher, Fritz – Mein Hamburg

Süderelbe – zwischen Marsch und Geest im Wandel

St. Pauli im Wandel

Walddörfer im Wandel, Die

Winterhude im Wandel

Schleswig-Holstein

Ahrensburg im Wandel

Bad Segeberg im Wandel

Eckernförde – Portrait einer Ostseestadt

Flensburg, Glücksburg, Holnis im Wandel

Norderstedt – Junge Stadt im Wandel

Stormarn – Geschichte, Land und Leute – ein Porträt

Sylt – Menschen, Strand und Meer im Wandel

Sylt, Sagenhaftes

Niedersachsen

Altes Land, Buxtehude, Stade im Wandel

List (Hannover) im Wandel, Die

Lüneburg – alte Hansestadt mit Tradition

Medien-Verlag Schubert, Hamburg